만점왕 알파북

어휘편

5-2

본 알파북은 **어휘력 향상**에 도움이 될 만한

사자성어 와 **속담**으로 구성하였습니다.

예시를 통해 의미를 파악할 수 있도록 제시하였으며,

학습한 내용은 연습과 문제를 통해 확인해 볼 수 있습니다.

만점왕 알파북 어휘편으로 재미있게 어휘 능력을 키워 보세요!

차례

사자성어

차례

속담

사자성어

건곤일척

乾 坤 一 擲

하늘 건　　땅 곤　　한 일　　던질 척

운명을 건 최후의 한판 승부라는 의미예요.

유방과 항우는 홍구라는 지역의 경계에서 목숨을 걸고 전투를 치렀어요. 대치(서로 맞서서 버티는 것.) 상태가 오래 지속되자, 둘은 잠정적으로 휴전을 결정하고 후퇴하려 했어요. 그때 유방의 부하들이 나서서 이렇게 말했어요.

"지금이 항우를 물리칠 수 있는 절호의 기회입니다. 이 기회를 놓쳐서는 안 됩니다."

유방은 그 말을 듣고 항우를 쫓기로 결심했어요. 그리고 항우의 군사를 쳐서 결국 승리했답니다. 그렇게 유방은 천하를 거머쥐었어요. 그로부터 수백 년이 흐른 뒤, 당나라의 시인 한유가 홍구를 지날 때에 유방과 항우의 일화를 떠올렸어요. 그리고 다음과 같은 시를 지었답니다.

"누가 임금에게 말머리를 돌리게 하여 / 하늘과 땅을 걸고 싸우게 하였는가?"

이렇게 사용해요! "저기 싸우는 모습이 매우 치열하군. 정말 건곤일척이 아닐 수 없네!"

乾 하늘 건	乾 하늘 건				
坤 땅 곤	坤 땅 곤				
一 한 일	一 한 일				
擲 던질 척	擲 던질 척				

乾	坤	一	擲	乾	坤	一	擲

경국지색

傾 國 之 色

기울 경　　나라 국　　갈 지　　빛 색

나라를 위태롭게 할 만큼 뛰어난 미모를 가진 여인이라는 의미예요.

한나라 무제 때에 이연년이라는 사람이 있었어요. 그는 노래와 춤에 재능이 있어 황제에게 사랑받는 궁중 가수였답니다. 이연년은 궁중 가수로 활동하던 중 한 궁중 연회에서 자신의 누이동생을 생각하며 지은 노래를 한 곡 불렀답니다. 노래의 내용은 북방에 한 아름다운 여인이 홀로 서 있는데, 그녀가 한 번 돌아보면 성이 기울고, 두 번 돌아보면 나라가 기운다는 것이었어요. 이 노래를 들은 무제는 이연년에게 그가 부른 노래의 주인공을 데려오라고 명했어요. 이연년은 바로 자신의 누이동생을 데려왔지요. 그의 누이동생은 노래의 내용만큼이나 아름다웠고, 무제는 그녀의 아름다움에 반해 그녀를 자신의 부인으로 삼았답니다.

이렇게 사용해요!　그녀는 가히 **경국지색**이라 부를 만하다.

따라 쓰며 사자성어를 익혀요!

傾	傾			
기울 경	기울 경			
國	國			
나라 국	나라 국			
之	之			
갈 지	갈 지			
色	色			
빛 색	빛 색			

傾	國	之	色	傾	國	之	色

사자성어 3

괄목상대

刮 目 相 對
비빌 괄   눈 목   서로 상   대할 대

다른 사람의 학식이나 대두가 크게 향상되었다는 의미예요.

오나라 손권의 부하 여몽은 병법에는 일가견이 없었지만 무술은 능해 전쟁에서 큰 공을 세워 장군의 자리에까지 올랐답니다. 어느 날, 손권이 여몽을 불러 이렇게 말했어요.

"여몽, 자네는 무술은 뛰어나나 병법에 대해서는 아는 바가 없군. 장군이란 모름지기 혼자만 잘 해서는 안 되고 군사를 잘 지휘해야 하는 법이네. 시간을 내어 병법을 익히도록 하게."

그 후 여몽은 병법과 함께 다른 학문을 익히는데 많은 시간을 투자하기 시작했어요. 그로부터 얼마 후 그 당시 학문이 깊었던 노숙이 여몽을 찾아 왔답니다. 그런데 여몽과 함께 대화를 나누던 노숙은 깜짝 놀랐습니다. 여몽의 학식이 이전과는 달리 크게 향상된 것을 느꼈기 때문이지요. 노숙의 반응을 보고 여몽은 껄껄 웃으며 이렇게 말했어요.

"자고로 선비란 헤어진 지 사흘 만에 다시 만나면 눈을 비비고 다시 볼 만큼 학식이 향상되어야 하는 법이네!"

이렇게 사용해요! 그동안 열심히 한자 공부를 하여 달라진 철수의 모습을 보고 괄목상대라는 사자성어가 떠올랐다.

刮	刮				
비빌 괄	비빌 괄				
目	目				
눈 목	눈 목				
相	相				
서로 상	서로 상				
對	對				
대할 대	대할 대				

刮	目	相	對

刮	目	相	對

두문불출

杜門不出

닫을 두   문 문   아닐 불   날 출

문을 닫고 밖으로 나가지 않는다는 의미로, 집에만 틀어박혀 있거나 사회의 일을 하지 않을 때에 쓰는 말이에요.

고려 왕조가 무너지고 막 조선 왕조가 들어섰을 때의 일이에요. 혁명으로 조선을 건국한 태조 이성계에게는 한 가지 고민이 있었어요. 그것은 바로 고려의 신하들이 새 조정(임금이 나라의 정치를 신하들과 의논하거나 집행하는 곳.)에 나오지 않는다는 것이었지요. 그들은 두문동이라는 곳에 숨어 고려에 대한 충절(충성스러운 절개.)을 지키며 살고 있었어요.

온갖 감언이설에도 그들이 움직이지 않자 이성계는 최후의 방법으로 두문동에 불을 질렀어요. 마을에 불을 지르면 그들이 밖으로 뛰쳐나올 것이라고 생각했기 때문이지요. 그리고 그들에게 항복을 받아 낸 다음 조정으로 불러들일 계획이었어요. 하지만 불이 난 마을에서 밖으로 나온 사람은 없고 모두 목숨을 잃었습니다.

이렇게 사용해요!   컴퓨터 게임에 빠져 있는 그 남자는 몇 년 동안 두문불출이라고 한다.

따라 쓰며 사자성어를 익혀요!

杜	杜				
닫을 두	닫을 두				
門	門				
문 문	문 문				
不	不				
아닐 불	아닐 불				
出	出				
날 출	날 출				

杜	門	不	出	杜	門	不	出

맹모단기
孟母斷機

성씨 맹   어미 모   끊을 단   틀 기

학문을 중도에 그만두면 아무런 쓸모가 없다는 의미예요.

맹자는 소년 시절 고향을 떠나 열심히 공부했어요. 그런데 시간이 갈수록 고향에 계신 어머니가 너무나 보고 싶은 거예요. 결국 그리움을 참지 못한 맹자는 공부하던 것을 내팽개쳐 두고 고향으로 돌아갔어요.

맹자가 집에 돌아왔을 때에 마침 어머니는 베틀에 앉아 베를 짜고 있었어요. 그녀는 몹시 반가웠지만 내색은 하지 않고 아들을 향해 이렇게 물었어요.

"공부는 다 마쳤느냐?" / "아직 다 마치지는 못했습니다."

맹자의 대답에 어머니는 짜고 있던 베의 날실을 끊었어요. 그리고 이렇게 꾸짖었어요.

"네가 공부를 중도에 그만두고 집에 돌아온 것은 내가 짜고 있던 베의 날실을 끊어 버리는 것과 같다!"

이 말을 들은 맹자는 자신의 실수를 깨닫고 곧바로 돌아가 공부를 계속했어요. 그리고 훗날 훌륭한 학자가 되었답니다.

이렇게 사용해요! '맹모단기' 라는 사자성어가 있듯이, 무엇이든지 한번 배우기 시작했으면 중도에 포기하면 안 된다.

따라 쓰며 사자성어를 익혀요!

孟	孟				
성씨 맹	성씨 맹				
母	母				
어미 모	어미 모				
斷	斷				
끊을 단	끊을 단				
機	機				
틀 기	틀 기				

孟	母	斷	機	孟	母	斷	機

부중지어

釜中之魚

솥 부　가운데 중　갈 지　물고기 어

> 솥 안의 물고기란 뜻으로, 언제 죽을지 모르는 위태로운 상황이라는 의미예요.

후한 순제 때 양기라는 사람이 있었어요. 그는 황후인 여동생과 하남 지방의 관리인 남동생을 등에 업고 자신이 권력의 중심인 양 마구 횡포를 부렸어요. 그러자 그에 불만을 품은 장강이라는 사람은 양기와 양기의 남동생의 비리를 낱낱이 파헤쳐 고발했답니다. 이 일로 장강은 양기와 양기의 남동생에게 미움을 사 광릉군의 관리로 쫓겨나게 되었는데, 당시 광릉군에는 장영이라는 사람이 이끄는 난폭한 도적들의 소굴이 있었어요. 장강은 광릉군에 부임하자마자 장영을 찾아가 인간의 도리에 호소하며 항복을 권했답니다. 그러자 장영은 장강의 용기에 감동하여 이렇게 말했어요.

"도적질을 하며 사는 저희의 신세는 솥 안의 물고기처럼 위태롭지요. 결코 오래 가지 못할 것이니 차라리 태수께 항복하는 게 나을 것 같군요."

그렇게 장영의 무리는 장강에게 항복했답니다.

이렇게 사용해요!　그 사람은 **부중지어**의 신세를 서러워하며 숨을 죽이고 침대 밑에 숨어 있었다.

따라 쓰며 사자성어를 익혀요!

釜	釜			
솥 부	솥 부			
中	中			
가운데 중	가운데 중			
之	之			
갈 지	갈 지			
魚	魚			
물고기 어	물고기 어			

釜	中	之	魚	釜	中	之	魚

새옹지마

塞翁之馬

변방 새   늙은이 옹   갈 지   말 마

세상의 길흉화복은 변화가 많아 예상하기가 힘들다는 의미예요.

만리장성 근처에 한 노인이 말 한 마리를 기르고 있었어요. 어느 날, 그 말이 사라져 버려서 마을 사람들은 노인의 사정을 딱하게 여겼어요.

"귀한 말을 잃어서 어쩌나요?" / "오히려 이것이 복이 될 수도 있지요."

노인의 반응은 담담했어요. 그런데 얼마 후, 사라졌던 말이 다른 말을 데리고 노인에게로 돌아왔어요. 그러자 마을 사람들은 축하하였어요. 그런데 노인은 오히려 화가 될지도 모른다며 침울해했어요. 노인의 걱정은 현실이 되었어요. 노인의 아들이 새로 온 말을 길들이려다 그만 말에서 떨어져 절름발이가 되고 말았거든요. 마을 사람들은 노인을 위로하기 위해 또다시 집으로 찾아왔어요. 그런데 이번에도 "이게 또 복이 될 수도 있지요."라는 말을 했어요.

몇 년 뒤, 전쟁이 일어나 마을의 젊은 남자들은 모두 전쟁터로 끌려 나갔어요. 하지만 노인의 아들은 절름발이여서 집에 남아 있을 수 있었답니다. 전쟁터로 끌려간 남자들은 대부분 살아 돌아오지 못했어요. 하지만 노인의 아들은 집에 남아 있었던 덕에 목숨을 부지할 수 있었어요.

이렇게 사용해요! 종현이는 **새옹지마**라는 사자성어를 마음속에 새기며 어려운 일을 꿋꿋이 견뎌 냈다.

따라 쓰며 사자성어를 익혀요!

塞	塞			
변방 새	변방 새			
翁	翁			
늙은이 옹	늙은이 옹			
之	之			
갈 지	갈 지			
馬	馬			
말 마	말 마			

塞	翁	之	馬	塞	翁	之	馬

사자성어 8

오월동주

吳 越 同 舟

나라이름 오   나라이름 월   한가지 동   배 주

원수 사이인 사람들끼리 한 자리에 있게 되거나 서로 협력해야 하는 상황에 쓰는 말이에요.

춘추 시대의 뛰어난 전략가 손무는 『손자』라는 최고의 병법서(군사를 지휘하여 전쟁하는 방법에 관한 책.)를 남겼어요.

『손자』의 「구지편」을 보면 이런 내용이 실려 있답니다.

"오나라와 월나라는 예로부터 사이가 좋지 않았다. 하지만 이 두 나라의 사람들이 한 배를 타고 강을 건너다가 풍랑을 만났을 때에는 싸우지 않을 것이다. 오히려 싫더라도 서로 사람의 왼손과 오른손이 되어 도울 것이다. 이는 상대방을 구하기 위해서가 아니라, 자신의 목숨이 달려있기 때문이다."

이렇게
사용해요!

"오월동주해야 하는 상황이 마음에 들지 않지만, 항상 내가 좋아하는 사람과 어울릴 수는 없는 노릇이니까 받아들여야지."

따라 쓰며 사자성어를 익혀요!

吳	吳				
나라이름 오	나라이름 오				
越	越				
나라이름 월	나라이름 월				
同	同				
한가지 동	한가지 동				
舟	舟				
배 주	배 주				

吳	越	同	舟		吳	越	同	舟

지선이가 작년 계주에서 현진이에게 지고 **와신상담**하더니 이번에는 이겼구나!

지선

현진

와신상담

臥 薪 嘗 膽

누울 와   섶 신   맛볼 상   쓸개 담

목적을 이룰 때까지 온갖 괴로움을 참고 견딘다는 의미예요.

오나라의 임금 합려는 월나라의 임금 구천과 싸우던 중에 입은 상처로 목숨이 위태로웠어요. 합려는 아들 부차에게 자신의 원수를 갚아 달라는 유언을 남기고 그만 숨을 거두었어요. 합려의 뒤를 이어 오나라의 임금이 된 부차는 매일 밤 비단 이불 대신 섶(땔나무를 통틀어 이르는 말.) 위에서 잠들며 아버지의 유언을 잊지 않으려 노력했어요. 그리고 호시탐탐 월나라를 칠 기회를 엿보았어요.

그러던 어느 날, 구천이 부차를 죽이기 위해 오나라로 쳐들어갔어요. 하지만 도리어 부차에게 무릎을 꿇고 신하가 되겠다고 항복하는 신세가 되었답니다. 그렇게 구천은 간신히 목숨을 부지하여 월나라로 돌아갔어요. 그리고 그때부터 항상 곁에다 쓸개를 두고 씹으며 복수를 다짐했어요. 그렇게 12년이 흘러 구천은 오나라로 다시 쳐들어갔어요. 그리고 7년의 전쟁 끝에 마침내 부차를 사로잡았답니다.

복수를 다짐하며 부차가 했던 와신, 구천이 했던 상담에서 '와신상담' 이란 말이 생겨났어요.

이렇게 사용해요! 저 선수는 지난 올림픽에서 경쟁자에게 진 후 **와신상담**하여 이번 올림픽에서는 금메달을 거머쥐었습니다.

따라 쓰며 사자성어를 익혀요!

臥	臥				
누울 와	누울 와				
薪	薪				
섶 신	섶 신				
嘗	嘗				
맛볼 상	맛볼 상				
膽	膽				
쓸개 담	쓸개 담				

臥	薪	嘗	膽	臥	薪	嘗	膽

사자성어 **10**

우도할계

牛 刀 割 鷄

소 우　칼 도　벨 할　닭 계

> 소 잡는 칼을 닭 잡는 데 쓴 다는 뜻으로, 작은 일에 큰 도구를 쓴다는 의미예요.

공자가 제자들과 함께 세상 이곳저곳을 돌아다닐 때의 일이에요. 어느 날, 무성이라는 노나라의 작은 고을을 지나가던 중 무성의 거리 곳곳에서는 거문고와 비파 소리, 그리고 그 소리에 맞춰 시를 읊는 소리를 들었어요. 공자는 흐뭇한 마음을 감추지 못하고 당시 무성을 다스리고 있던 제자 자유에게 말했어요.

"자유야, 무성 같은 작은 고을에서 악기 연주와 노래를 가르칠 필요가 있겠느냐? 소 잡을 칼을 닭 잡는 데 쓰지 않아도 될 텐데?"

공자의 말은 자유가 나라를 다스릴 만한 인재임에도 불구하고 작은 고을에서 성실하게 자신의 가르침을 베풀고 있는 모습을 칭찬한 것이었어요.

이렇게 사용해요! "세 명 정도만 데리고 가면 될 텐데, 왜 굳이 여섯 명이나 데리고 가서 일을 시키는 걸까? 우도할계가 따로 없네."

따라 쓰며 사자성어를 익혀요!

牛	牛			
소 우	소 우			
刀	刀			
칼 도	칼 도			
割	割			
벨 할	벨 할			
鷄	鷄			
닭 계	닭 계			

牛	刀	割	鷄	牛	刀	割	鷄

정중지와

井 中 之 蛙

우물 정　가운데 중　갈 지　개구리 와

우물 안 개구리라는 뜻으로, 식견이 좁고 세상 물정을 너무 모르는 사람이라는 의미예요.

마원은 고향에서 조상의 묘를 돌보다가 지방 관리 외효의 부하가 되었어요. 그 무렵, 마원의 고향 친구였던 공손술은 사천 지방에서 스스로를 황제라 부르며 세력을 넓히고 있었답니다. 그 소식을 전해들은 외효는 마원을 불러 공손술이 어떤 인물인지 알아보고 오라고 명했어요. 마원은 고향 친구를 설마 박대하겠냐는 생각을 하며 즐거운 마음으로 공손술을 찾아갔어요. 하지만 공손술은 거만한 태도로 마원을 대했답니다. 심지어 이런 말도 했어요.

"옛정을 생각해서 자네를 장군 자리에 임명할까 하는데, 어떠한가?"

그 말을 듣고 마원은 세상 물정 모르고 허세만 부리는 공손술의 됨됨이를 파악했어요. 서둘러 외효에게 돌아간 마원은 이렇게 보고했답니다.

"공손술은 그야말로 세상 물정 모르는 우물 안 개구리일 뿐이었습니다."

그 말을 듣고 외효는 공손술과 손잡을 생각을 버렸어요.

이렇게 사용해요! 그 사람은 경험이 많지 않아서 **정중지와**에 불과하다.

따라 쓰며 사자성어를 익혀요!

井	井			
우물 정	우물 정			
中	中			
가운데 중	가운데 중			
之	之			
갈 지	갈 지			
蛙	蛙			
개구리 와	개구리 와			

井	中	之	蛙		井	中	之	蛙

천재일우

千 載 一 遇
일천 천   해 재   한 일   만날 우

천 년이 지나야 한 번 만날 수 있다는 뜻으로, 돌처럼 만나기 어려운 좋은 기회라는 의미예요.

동진의 뛰어난 문장가였던 원굉은 『문선』이라는 책을 남겼어요.
그 속에는 「삼국명신서찬」이라는 글이 수록되어 있는데, 위·촉·오 세 나라 건국 공신들의 행적에 대한 기록이랍니다. 그중 이런 구절이 있어요.
"대체로 보아서 백락을 만나지 못한다면 천 년이 지나도 한 필의 천리마를 얻을 수 없다."
백락은 훌륭한 임금을, 천리마는 신하를 가리키는 말이에요.
즉, 현명한 임금을 만나야 뛰어난 신하가 제 능력을 발휘할 수 있다는 뜻이에요.

이렇게 사용해요! 천재일우를 놓쳐 버린 재민이는 아쉬워서 눈물을 흘렸다.

따라 쓰며 사자성어를 익혀요!

千	千				
일천 천	일천 천				
載	載				
해 재	해 재				
一	一				
한 일	한 일				
遇	遇				
만날 우	만날 우				

千	載	一	遇	千	載	一	遇

형설지공

螢雪之功

반딧불이 형 눈 설 갈 지 공 공

가난을 극복하고 열심히 공부한 결과 큰 성과를 이룰 때에 쓰는 말이에요.

동진에 차윤이라는 소년이 있었어요. 그의 집은 몹시 가난해서 등불을 밝힐 기름을 살 돈이 없었어요. 어떻게 하면 밤에 공부를 할 수 있을까 고민하던 그는 좋은 생각이 났어요. 바로 꽁무니로 빛을 내며 밤하늘을 날아다니는 반딧불이를 이용하기로 한 거예요. 곧장 빗자루를 들고 나가 반딧불이 수십 마리를 잡아 온 차윤은 그 빛을 이용해 열심히 공부했어요. 그리고 이후 이부상서라는 높은 벼슬에 올랐답니다.

같은 시대에 손강이라는 소년이 있었어요. 그도 차윤과 마찬가지로 집안이 매우 가난해 등불을 밝힐 기름을 살 수 없었지요. 그래서 그는 겨울만 되면 창문을 활짝 열고 창가에 쌓인 눈에 반사된 달빛으로 열심히 공부했어요. 그 결과 커서 어사대부라는 벼슬에 올랐답니다.

이렇게 사용해요! 어려운 환경 속에서도 공부에 매진해서 어려운 시험에 합격하는 사람들을 보면 **형설지공**이란 말이 떠오릅니다.

따라 쓰며 사자성어를 익혀요!

螢	螢			
반딧불이 형	반딧불이 형			
雪	雪			
눈 설	눈 설			
之	之			
갈 지	갈 지			
功	功			
공 공	공 공			

螢	雪	之	功	螢	雪	之	功

호구지책

糊 口 之 策

풀칠할 호　입구　갈지　꾀책

입에 풀칠할 정도로 겨우 먹고 살아가는 방책이라는 의미예요.

노나라의 은공, 제나라와 정나라의 제후는 다함께 힘을 합쳐 허나라를 정벌했어요. 그 후 은공은 허나라 땅을 제나라의 제후에게 주려고 했지만, 제나라의 제후는 오히려 정나라의 제후인 정백에게 땅을 주기를 권했어요. 은공은 제안을 받아들이고 사람을 시켜 정백에게 그 말을 전했어요. 그러자 정백은 이렇게 말했어요.

"과인은 몇 안 되는 왕실의 어른들을 편히 모시지도 못하고, 아우와도 화목하지 못하여 이 나라 저 나라 떠돌면서 겨우 입에 풀칠이나 하게 하는데 어찌 그 땅을 받겠소?"

이렇게 사용해요! "겨우 호구지책이나 하는 마당에 그런 걸 어떻게 살 수 있겠니?"

따라 쓰며 사자성어를 익혀요!

糊	糊				
풀칠할 호	풀칠할 호				
口	口				
입구	입구				
之	之				
갈지	갈지				
策	策				
꾀 책	꾀 책				

糊	口	之	策	糊	口	之	策

사자성어 15

화중지병

畵中之餠

그림 화　가운데 중　갈 지　떡 병

그림의 떡처럼 바라긴 하나 어찌할 수 없다는 의미예요.

위나라의 황제 조예는 노육이라는 신하를 무척 아껴 그에게 인재를 뽑는 이부상서의 벼슬을 내렸어요. 그리고 인재를 뽑을 때에 고려해야 할 점을 일러 주었어요.

"인재를 뽑을 때에 유명한 사람은 고르지 말게. 그냥 자네 같은 사람만 뽑게나."

그러자 노육은 의아해하며 그 이유를 물었어요. 그러자 조예는 이렇게 답했어요.

"이미 유명한 사람은 내 마음대로 부릴 수가 없지. 그들은 마치 그림 속의 떡과 같은 존재들이라네. 그래서 뽑을 수가 없다네."

이렇게 사용해요!　"지금의 나에게 그 옷을 사는 것은 **화중지병**이지."

따라 쓰며 사자성어를 익혀요!

畵 그림 화	畵 그림 화			
中 가운데 중	中 가운데 중			
之 갈 지	之 갈 지			
餠 떡 병	餠 떡 병			

畵	中	之	餠	畵	中	之	餠

메모

속 담

가는 토끼 잡으려다 잡은 토끼 놓친다

지나치게 욕심을 부려 일을 벌이다가 도리어 이미 이룬 일을 망치고 다른 일도 이루어 내지 못한다는 의미예요.

이렇게 사용해요!

"지민아, 어머니께서 장난감은 하나만 고르라고 하셨으니 하나만 골라. 여러 개 사달라고 떼를 쓰다가 어머니께서 화가 나시면 아무것도 안 사주실지도 몰라. '가는 토끼 잡으려다 잡은 토끼 놓친다.'는 속담도 있잖아."

더 알아보기

• **비슷한 속담**: 산돼지를 잡으려다가 집돼지까지 잃는다

가랑잎이 솔잎더러 바스락거린다고 한다

자신의 큰 허물은 생각하지 않고 도리어 다른 사람의 작은 허물을 나무란다는 의미예요.

이렇게 사용해요!

"자기 방 청소도 안 하는 사람이 다른 사람이 책상 정리 안 한다고 화를 내는 거야? 가랑잎이 솔잎더러 바스락거린다고 한다더니만……."

더 알아보기

• **비슷한 속담**: 겨울바람이 봄바람보고 춥다 한다

문제를 풀며 속담을 익혀요!

1 다음 속담의 빈칸에 알맞은 말을 써넣으시오.

(1) 가는 토끼 잡으려다 (　　　　　　) 토끼 놓친다
(2) (　　　　　　)이(가) (　　　　　　)더러 바스락거린다고 한다

2 다음 빈칸에 알맞은 속담을 고르시오. (　　　　)

> '(　　　　　　　　　　　).' (이)라고, 민정이는 일본어를 배우다가 중국어까지 배우고 싶어졌다. 모두 공부하려다 결국 어느 것 하나도 제대로 하지 못했다.

① 티끌 모아 태산
② 백지장도 맞들면 낫다
③ 비 온 뒤에 땅이 굳어진다
④ 가는 토끼 잡으려다 잡은 토끼 놓친다
⑤ 가랑잎이 솔잎더러 바스락거린다고 한다

3 다음 상황에 어울리는 속담을 찾아 선으로 이으시오.

(1) 복도 청소를 대충 끝낸 수민이가 교실 청소를 열심히 하고 있는 인영이에게 속도가 느리다며 면박을 주었다.

(2) 민형이는 미술 대회에서 그림을 하나 완성한 뒤 시간이 남는다며 하나 더 그렸다. 그런데 두 번째 그림을 그리다 보니 제출 시간이 지나서 결국 둘 다 내지 못하였다.

・① 낙숫물이 댓돌을 뚫는다

・② 달면 삼키고 쓰면 뱉는다

・③ 가는 토끼 잡으려다 잡은 토끼 놓친다

・④ 얌전한 고양이 부뚜막에 먼저 올라간다

・⑤ 가랑잎이 솔잎더러 바스락거린다고 한다

걷기도 전에 뛰려고 한다

속담 3

쉽고 작은 일도 잘 해낼 수 없으면서 다짜고짜 어렵고 큰일을 한다고 나선다는 의미예요.

이렇게 사용해요!

쉬운 "계란 프라이도 잘 못하는데 더 어려운 계란말이를 만든다고 하다니, 걷기도 전에 뛰려고 하는구나!"

더 알아보기

• **비슷한 속담**: 기지도 못하면서 뛰려 한다

겉 다르고 속 다르다

속담 4

겉으로 드러나는 행동과 마음속에 품고 있는 생각이 서로 다르다는 의미예요.
속으로는 꺼리면서 겉으로는 좋은 척 꾸며서 행동한다는 의미도 있어요.

이렇게 사용해요!

민영이는 영훈이와 우연히 만나면 즐거운 듯이 대화를 나누지만 속으로는 영훈이를 매우 싫어한다. 민영이는 정말 겉 다르고 속 다르게 행동한다.

더 알아보기

• **비슷한 속담**: 겉과 속 이 다르다

문제를 풀며 속담을 익혀요!

1 다음 속담의 빈칸에 알맞은 말을 써넣으시오.

(1) (   ) 다르고 속 다르다
(2) 걷기도 전에 (   ) 한다

2 다음 상황에 알맞은 속담을 고르시오. (   )

> 지현이가 종민이에게 김치찌개를 해 주겠다고 말했어요. 종민이는 지현이의 요리 솜씨가 형편없다는 사실을 알기 때문에 그 말이 반갑지 않았지만, 겉으로는 좋은 체했답니다.

① 고생을 사서 한다
② 겉 다르고 속 다르다
③ 못 먹는 감 찔러나 본다
④ 고기도 저 놀던 물이 좋다
⑤ 늦게 배운 도둑이 날 새는 줄 모른다

3 다음 대화에 어울리는 속담을 찾아 선으로 이으시오.

(1)
수민: 오빠, 나도 두발자전거 탈래!
승우: 넌 세발자전거도 안 타 봤으면서 두발자전거를 어떻게 타니?

(2)
지선: 승희는 미연이를 정말 좋아하나 봐!
영희: 승희는 겉으로만 그래. 저번에 나에게 미연이 험담을 하던걸?

• ① 울며 겨자 먹기

• ② 무소식이 희소식

• ③ 겉 다르고 속 다르다

• ④ 걷기도 전에 뛰려고 한다

• ⑤ 먹을 가까이하면 검어진다

남의 흉이 한 가지면 제 흉은 열 가지

함부로 남을 헐뜯어서는 안 된다는 의미예요.

이렇게 사용해요!

"남의 흉이 한 가지면 제 흉은 열 가지라고 하잖아. 뒷말
하는 버릇은 좀 고쳐."

더 알아보기

• **비슷한 속담**: 남의 흉
이 한 가지면 내 흉은
몇 가지냐

낫 놓고 기역 자도 모른다

기역 자 모양의 낫을 보고서도 기역 자를 모를 만큼 무식하다는 의미예요.
글을 읽을 줄 모르는 까막눈을 가리켜 쓰기도 해요.

이렇게 사용해요!

"캐나다의 지도를 보면서도 캐나다의 수도가 밴쿠버라고
하다니. '낫 놓고 기역 자도 모른다.'는 말이 너를 두고 하
는 말이네. 캐나다의 수도는 오타와라고!"

더 알아보기

• **비슷한 속담**: 가갸 뒷
다리도 모른다

문제를 풀며 속담을 익혀요!

1 다음 속담의 빈칸에 알맞은 말을 써넣으시오.

(1) 낫 놓고 (   )도 모른다
(2) 남의 흉이 한 가지면 제 (   )은 열 가지

2 다음 상황에 알맞은 속담을 고르시오. (   )

> 석환이는 걸핏하면 친구들 험담을 해요. '민석이는 선생님한테 고자질만 한다, 선영이는 말할 때마다 침을 튀긴다, 수한이는 잘난 척을 한다, …….'라고요. 아이들은 모두 석환이가 하는 뒷말을 듣고 싶지 않았지만 나서서 말리는 아이는 없었답니다. 석환이는 반에서 제일 덩치가 큰 무서운 아이였거든요. 그러던 어느 날, 참다못한 민정이가 석환이에게 험담은 그만하라고 소리쳤답니다. 그러자 다른 아이들도 나서서 석환이의 나쁜 점을 하나씩 말하기 시작했어요.

① 말이 씨가 된다
② 무소식이 희소식
③ 원님 덕에 나팔 분다
④ 털도 안 뜯고 먹겠다 한다
⑤ 남의 흉이 한 가지면 제 흉은 열 가지

3 다음 대화와 어울리는 속담을 찾아 선으로 이으시오.

(1)
건우: 쟤 너무 더럽지 않니?
신영: 너도 만만치 않게 더럽거든? 네 모습을 먼저 살펴봐.

• ① 설마가 사람 잡는다

• ② 배보다 배꼽이 더 크다

• ③ 못 먹는 감 찔러나 본다

(2)
진영: 토요일에 방콕에 간다고? 재미있겠다. 난 태국 가는데!
현정: 진영아, 방콕이 태국의 수도야…….

• ④ 낫 놓고 기역 자도 모른다

• ⑤ 남의 흉이 한 가지면 제 흉은 열 가지

눈 가리고 아웅

얕은 꾀로 남을 속이려고 한다는 의미예요.

이렇게 사용해요!

"눈 가리고 아웅 하지 말고 솔직히 이야기 해."

더 알아보기

• **비슷한 속담**: 머리카락 뒤에서 숨바꼭질한다

늦게 배운 도둑이 날 새는 줄 모른다

남보다 뒤늦게 시작한 일에 재미를 느끼고 열중한다는 의미예요.

이렇게 사용해요!

늦게 배운 도둑이 날 새는 줄 모른다고, 지현이의 어머니는 마흔 살부터 배우기 시작한 요가에 빠져 자격증까지 따셨다.

더 알아보기

• **비슷한 속담**: 늦게 시작한 도둑이 새벽 다 가는 줄 모른다

1 다음 속담의 빈칸에 알맞은 말을 써넣으시오.

(1) 눈 가리고 (　　　　　　)
(2) 늦게 배운 (　　　　　　)이 날 새는 줄 모른다

2 다음 빈칸에 알맞은 속담을 고르시오. (　　　　)

'(　　　　　　　　　　).' (이)라고, 늦은 나이에 한글 공부를 시작하신 희영이 친 할머니께서는 열심히 공부하여 글도 쓰기 시작하셨다.

① 눈 가리고 아웅
② 더운죽에 혀 데기
③ 아닌 밤중에 홍두깨
④ 번개가 잦으면 천둥을 한다
⑤ 늦게 배운 도둑이 날 새는 줄 모른다

3 다음 상황에 어울리는 속담을 찾아 선으로 이으시오.

(1) 정원이는 욕심을 부려 오빠 몫의 과자를 여러 개 먹고 적어 보이지 않게 남은 과자를 듬성듬성 놓았다.

(2) 혜영이네 옆집 할아버지께서는 일흔이 되어서 처음 요리를 배우기 시작하셨다. 그리고 요리에 흠뻑 빠져 가족들에게 매일 저녁 맛있는 음식을 해 주신다.

・① 눈 가리고 아웅

・② 설마가 사람 잡는다

・③ 매도 먼저 맞는 놈이 낫다

・④ 땅에서 솟았나 하늘에서 떨어졌나

・⑤ 늦게 배운 도둑이 날 새는 줄 모른다

망둥이가 뛰니까 꼴뚜기도 뛴다

남이 한다고 해서 그것과 아무 상관도 없는 사람이 덩달아 분수도 모르고 날뛸 때에 쓰는 말이에요.

이렇게 사용해요!

"민정이가 스키 캠프에 가니까 너도 따라서 간다고 한 거니? 너는 스키를 하나도 못 타잖아. 망둥이가 뛰니까 꼴뚜기도 뛴다더니!"

더 알아보기
- 비슷한 속담: 숭어가 뛰니까 망둥이도 뛴다

모르면 약이요 아는 게 병

아무것도 아는 게 없으면 도리어 마음이 편하나 어떤 일에 대해 조금이라도 알고 있으면 걱정거리가 많아져 마음이 괴롭다는 의미예요.

이렇게 사용해요!

"아, 이번 시험에 서술형 문제가 나온다고? 어차피 그 사실을 알아도 어떻게 공부해야 할지 모르는 건 똑같은데 걱정만 더 되네. 모르면 약이요 아는 게 병이라더니!"

더 알아보기
- 비슷한 속담: 모르는 것이 부처, 아는 게 병

1 다음 속담의 빈칸에 알맞은 말을 써넣으시오.

(1) 모르면 (   )이요 아는 게 병

(2) (   )가 뛰니까 꼴뚜기도 뛴다

2 다음 빈칸에 알맞은 속담을 고르시오. (   )

> " '(   ).' (이)라더니 괜히 찾아 봤다가 걱정거리가 하나 더 늘었네."

① 어느 장단에 춤추랴
② 소 잃고 외양간 고친다
③ 모르면 약이요 아는 게 병
④ 사촌이 땅을 사면 배가 아프다
⑤ 못된 송아지 엉덩이에서 뿔이 난다

3 다음 상황에 어울리는 속담을 찾아 선으로 이으시오.

(1) 희주는 민수가 자신을 싫어한다는 사실을 알게 되었다. 그것을 알고 나니 민수를 대할 때마다 마음이 몹시 괴로웠다. •

(2) 현희는 미진이가 손쉽게 뜀틀을 넘는 모습을 보고 자기도 그 정도는 할 수 있다는 생각에 넘어 보았다. 하지만 크게 다치기만 하고 제대로 넘지도 못하였다. •

• ① 밑 빠진 독에 물 붓기

• ② 도랑 치고 가재 잡는다

• ③ 모르면 약이요 아는 게 병

• ④ 섶을 지고 불로 들어가려 한다

• ⑤ 망둥이가 뛰니까 꼴뚜기도 뛴다

속담 정답

39쪽

1. (1) 잡은 (2) 가랑잎, 솔잎

2. ④

3. (1) ⑤ (2) ③

41쪽

1. (1) 겉 (2) 뛰려고

2. ②

3. (1) ④ (2) ③

43쪽

1. (1) 기역 자 (2) 흉

2. ⑤

3. (1) ⑤ (2) ④

45쪽

1. (1) 아웅 (2) 도둑

2. ⑤

3. (1) ① (2) ⑤

47쪽

1. (1) 약 (2) 망둥이

2. ③

3. (1) ③ (2) ⑤